ELI présentent une gamme complète
de publications allant des histoires
contemporaines et captivantes aux
émotions éternelles des grands
classiques. Elles s'adressent aux
lecteurs de tout âge et sont divisées
en trois collections : Lectures ELI
Poussins, Lectures ELI Juniors,
Lectures ELI Seniors. Outre leur grande
qualité éditoriale, les Lectures ELI
fournissent un support didactique
facile à gérer et capturent l'attention
des lecteurs avec des illustrations ayant
un fort impact artistique et visuel.

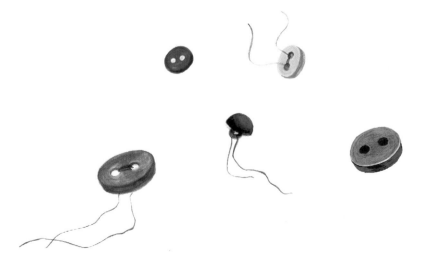

# Louis Pergaud
# La Guerre des boutons

adaptation et activités de
Dominique Guillemant

illustrations de
Maja Celija

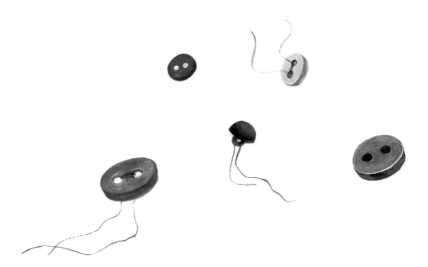

Lectures  Juniors

PIERRE
BORDAS
ET FILS

**La guerre des boutons**
Louis Pergaud
Adaptation et activités de Dominique Guillemant
Révision de Mery Martinelli

**Lectures ELI**
Création de la collection et coordination éditoriale
Paola Accattoli, Grazia Ancillani,
Daniele Garbuglia (Directeur artistique)

**Conception graphique**
Airone Comunicazione - Sergio Elisei

**Mise en page**
Airone Comunicazione - Sergio Elisei

**Responsable de production**
Francesco Capitano

**Crédits photographiques**
Shutterstock

© 2014 ELI S.r.l.
B.P. 6 - 62019 Recanati - Italie
Tél. +39 071 750701
Fax +39 071 977851
info@elionline.com
www.elionline.com

Fonte utilisée 13 / 18 points Monotype Dante

Achevé d'imprimer en Italie par Tecnostampa Recanati
ERT 236.01
ISBN 978-88-536-1746-0

Première édition Mars 2014

**www.elireaders.com**

# Sommaire

Les parties de l'histoire enregistrées sur le CD sont signalées par les symboles qui suivent :

**Début** ▶    **Fin** ■

LA MARIE

LA TAVIE

LEBRAC

GAMBETTE

LA CRIQUE

CAMUS

GRANGIBUS

Les personnages principaux

# Vocabulaire

**1** **La guerre des boutons se passe dans une région française au début du XIX$^{ème}$ siècle. Trouve 16 mots dans la grille et associe les lettres restantes pour connaître cette région.**

| F | R | C | A | M | A | R | A | D | E | D |
|---|---|---|---|---|---|---|---|---|---|---|
| A | C | L | O | C | H | E | M | E | P | E |
| C | L | A | S | S | E | N | A | C | U | V |
| R | E | C | R | E | A | T | I | O | N | O |
| A | Ç | N | C | O | U | R | T | L | I | I |
| I | O | C | A | H | I | E | R | E | T | R |
| E | N | C | O | P | I | E | E | C | I | S |
| F | E | U | I | L | L | E | H | E | O | C |
| O | M | T | E | L | E | V | E | S | N | E |

*rentrée*
..........................................        ..........................................
..........................................        ..........................................
..........................................        ..........................................
..........................................        ..........................................
..........................................        ..........................................
..........................................        ..........................................
..........................................        ..........................................
..........................................        ..........................................

La guerre des boutons se passe en _ _ _ _ _ _ _ - _ _ _ _ _ .

**2** **Réutilise les mots trouvés dans la grille pour compléter le texte. Accorde les noms si nécessaire.**

C'est la ..*rentrée*.. (**0**) des ............... (**1**) et les ............... (**2**) se donnent rendez-vous dans la ............... (**3**) avec leurs livres et leurs ............... (**4**) sous le bras. Le ............... (**5**) d'............... (**6**) fait sonner la ............... (**7**), c'est l'heure de la ............... (**8**) de Mathématiques. Il écrit les ............... (**9**) au tableau noir avec une ............... (**10**) blanche. Un élève regarde la ............... (**11**) de son ............... (**12**). Il risque d'attraper une ............... (**13**) et de devoir écrire sur une ............... (**14**) qu'il est interdit de tricher ou d'être privé de ............... (**15**).

**3** **Observe les personnages aux pages 6 et 7 et coche les bonnes réponses.**

**1** Les deux bandes vivent :
  **a** ☐ en ville
  **b** ☐ à la campagne

**2** Ces garçons ressemblent à :
  **a** ☐ des guerriers
  **b** ☐ des enfants de chœur

**3** À ton avis, les chefs des deux bandes sont :
  **a** ☐ Camus et Migue la Lune
  **b** ☐ Lebrac et l'Aztec

# Production écrite

**4** **Écris une anecdote qui t'est arrivée quand tu étais à l'école primaire.**

*Un jour* ....................................................................................
....................................................................................
....................................................................................
....................................................................................
....................................................................................

Chapitre 1

# La déclaration de guerre

▶ 2  C'est la rentrée des classes, Grangibus et P'tit Gibus vont à l'école avec leurs livres et leurs cahiers sous le bras. En route, ils rencontrent Boulot. C'est un matin d'octobre et de gros nuages gris menacent la campagne. C'est le début de l'automne, l'air est humide et tiède.

Le maître, le père Simon, attend ses élèves devant la porte. Ceux-ci soulèvent leur casquette en signe de respect. Ensuite, ils traversent le couloir et arrivent dans la cour de récréation, leurs camarades qui sont déjà en train de discuter avec animation.

Lebrac, le chef de la bande, discute avec Camus, La Crique, Tintin, Guignard et Têtard, bref les plus forts de Longeverne. Il s'agit d'une affaire très sérieuse et quand les trois nouveaux venus approchent, ils participent à la conversation.

– Quand nous sommes arrivés mon frère et moi à la limite du bois, les Velrans ont commencé à nous jeter des pierres et à nous montrer leurs bâtons. Ils nous ont insultés de nouilles*, de voleurs, et d'imbéciles, intervient Grangibus.

– De nouilles ! Et qu'est-ce que tu leur as répondu ? demande Lebrac.

– Nous nous sommes sauvés, ils étaient trop nombreux ! répond P'tit Gibus.

– Ils ont osé vous traiter de nouilles ?! reprend Camus furieux et blessé.

– Ça veut dire quoi ? demande Tintin.

– Heu... des nouilles, ce sont des mous, explique La Crique.

– Nous devons nous venger ! fait Lebrac.

La bande approuve Lebrac à l'unanimité et à ce moment même le père Simon frappe dans ses mains et donne le signal d'entrer en classe. Les conspirateurs se mettent en rang silencieusement, l'air indifférent, sans montrer qu'ils viennent de prendre une grande et terrible décision.

La matinée ne se passe pas très bien en classe et le maître demande aux élèves distraits de faire attention. Ils ont l'air tous perdus dans les nuages

**nouilles** personnes molles, sans caractère

et ne montrent aucun intérêt pour l'Histoire et les Mathématiques. Pendant la leçon, Lebrac crie : « Eurêka ! ». Il a une idée pour se venger des Velrans, mais ses amis doivent attendre onze heures pour connaître son plan. La cloche sonne et ils se précipitent tous pour gagner la sortie de l'école.

Lebrac peut finalement leur exposer son plan hardi★. Tous veulent participer à l'opération qui va avoir lieu le soir même, mais quatre suffisent. Camus, La Crique, Tintin et Grangibus qui feront donc partie de son expédition.

Les cinq guerriers se retrouvent. La Crique a cinq grands bouts de craie ; il les a volés au père Simon. Il en donne un bout à chacun et ils se mettent en route. Ils passent par la grande rue du village jusqu'à la route de Velrans, le village voisin. Ils marchent dans le noir et en silence. Une fois arrivés tout près de Verlans, ils enlèvent leurs chaussures et se cachent derrière un mur. L'oreille tendue, ils se dirigent vers l'église qui est le but de leur expédition nocturne.

Ils font très attention, ils se collent aux murs, se cachent dans les fossés et derrière les haies★. Ils

hardi audacieux                    haies mur végétal fait d'arbustes

avancent comme des ombres. Tout est désert et silencieux. Ils avancent sous le clocher de l'église. Le chef reste seul et les quatre autres montent la garde. Alors, Lebrac tire son bout de craie et écrit sur un panneau en bois une inscription qui allait faire scandale le lendemain :

*À Velrans ils sont tous nuls !*

Lebrac retrouve ses guerriers et ils s'enfuient tous en courant. Ils vont rechercher leurs chaussures et retournent joyeusement à Longeverne en attendant impatiemment de connaître l'effet de leur déclaration de guerre.

Le lendemain, une demi-heure avant la messe, le grand Lebrac s'appuie contre le mur du lavoir* communal et attend ses troupes pour les informer que l'expédition a réussi. Camus arrive en premier suivi des deux Gibus et du reste de la bande de Longeverne, une quarantaine de combattants en tout.

Les cinq héros de la veille racontent au moins dix fois le récit de leur expédition et leurs camarades les applaudissent pleins d'admiration.

– Comme ça, dit Lebrac, ils vont voir que nous

**lavoir** endroit où les femmes lavaient le linge

ne sommes pas des nouilles ! Cet après-midi ils vont peut-être venir par ici mais nous serons là pour les recevoir.

La cloche sonne et les troupes vont s'asseoir dans la petite chapelle pour la messe. D'un côté les filles et de l'autre les garçons. C'est au tour de Camus de servir la messe aujourd'hui. Il se précipite pour mettre sa robe d'enfant de chœur. Il suit le curé entre les bancs et il aperçoit la Tavie, sa petite amie. Il voit qu'elle le regarde. Il a un petit choc au cœur et rougit. « Maintenant que c'est l'école », pense-t-il, « je vais la voir plus souvent ». Oui… mais la guerre est déclarée ! À la sortie de l'église, Lebrac réunit ses troupes et parle en chef :

– Allez mettre vos blousons ! Rendez-vous à la carrière⋆. Apportez vos frondes⋆ et vos bâtons ! Les Velrans vont sûrement venir.

La carrière de pierre est un grand magasin pour les guerriers, c'est ici qu'ils se procurent les cailloux pour leurs frondes. La carrière se trouve juste entre les deux villages et c'est ici que les troupes ennemies se battent depuis des générations.

**carrière** endroit où l'on extrait la pierre pour la construction

**frondes** lance-pierres faits avec deux élastiques

Camus grimpe dans un arbre pour monter la garde. Quelque chose bouge dans les buissons*. Il reconnaît l'Aztec, Touegueule, Tatti et Migue la Lune. Lebrac invite ses camarades à se cacher pour faire croire aux ennemis qu'il est seul.

– C'est toi, Aztec, qui as traité les Longevernes de nouilles ? demande Lebrac.

– Oui et alors ?

Lebrac et les Velrans commencent alors à se disputer. Camus avertit son chef que Touegueule a sorti sa fronde. Un caillou siffle au-dessus de la tête de Lebrac. Mais c'est dimanche, les deux troupes ennemies portent leurs plus beaux vêtements et ils ne peuvent donc pas se battre.

– À demain nouilles de Longevernes, crient les Velrans.

– Vous allez voir demain, nous nous vengerons ! répondent les Longevernes.

Les Velrans retournent dans leur village et les Longevernes s'organisent pour le combat du lendemain. ▪

buissons arbustes

17

# Compréhension

**1  Vrai (V) ou faux (F) ? Coche la bonne réponse.**     **V   F**

C'est le mois d'octobre, l'air est humide et tiède.  ☑ ☐

**1**  Les élèves discutent avec animation devant l'école.   ☐ ☐

**2**  Les Velrans ont insulté les Gibus de nouilles, de voleurs et d'imbéciles.   ☐ ☐

**3**  Lebrac a un plan pour venger cette insulte.   ☐ ☐

**4**  La Crique écrit « À Velrans ils sont tous nuls » avec sa craie.   ☐ ☐

**5**  Les Velrans et les Longevernes se rencontrent à la carrière de pierre.   ☐ ☐

**6**  Ils ne peuvent pas se battre à cause de leurs vêtements du dimanche.   ☐ ☐

**2  Complète les phrases avec les sujets manquants.**

L'Aztec • Le père Simon • Lebrac • La cloche
La Crique • ~~Les Gibus~~ • Les Velrans • Camus • Les élèves

*Les Gibus* rencontrent Boulot sur le chemin de l'école.

**1**  ................... attend ses élèves devant la porte de l'école.

**2**  ................... ont jeté des pierres et montré leur bâton aux deux Gibus.

**3**  ................... ont l'air tous perdus dans les nuages.

**4**  ................... sonne et les élèves se précipitent dans le couloir.

**5**  ................... a cinq grand bouts de craie volés au père Simon.

**6**  ................... écrit une inscription qui va faire scandale.

**7**  ................... a un petit choc au cœur quand il voit la Tavie.

**8**  ................... a traité de nouilles les Longevernes.

# Grammaire

**3 Lis les phrases au présent de l'indicatif, écris les verbes à l'infinitif et dis à quel groupe ils appartiennent.**

Ils jettent des cailloux avec leurs frondes. .....*jeter*..... - .....*1ᵉʳ groupe*.....

**1** Ils reçoivent un bout de craie chacun. ................. - ...............

**2** Vous rougissez en voyant votre petite amie. ................... - ...............

**3** J'aperçois quelque chose dans les buissons. ............... - ...............

**4** Nous menaçons l'ennemi avec nos bâtons. ....................... - ...............

**5** Il écrit une inscription sous le clocher de l'église. ............... - ...............

**6** Tu applaudis la bonne idée du chef. ..................... - ...............

**7** Nous mettons nos blousons pour aller à la carrière. ................. - ...................

## Activité de pré-lecture

# Vocabulaire

**4 Dans le prochain chapitre, la guerre des boutons éclate. Lis les définitions, complète la grille et lis le nom du Longeverne qui va être fait prisonnier.**

**1** On l'emprunte pour entrer ou sortir de la classe.

**2** Les élèves l'enlèvent en signe de respect.

**3** Les cinq guerriers avancent dans la nuit comme des...

**4** Pour la messe, Camus est habillé en enfant de...

**5** L'adjectif qui qualifie le plan du chef des Longevernes.

**6** Quand il voit la Tavie, Camus a un coup au...

Chapitre 2

# La guerre des boutons éclate

▶ 3 Le lundi matin, tout va mal en classe. Le père Simon interroge Camus en Instruction Civique. Il veut savoir ce qu'est un citoyen, mais Camus ne sait pas répondre.

– Vous ne savez pas ce qu'est un citoyen ? dit le père Simon. Je vais tous vous garder à l'école une heure en plus !

Heureusement, La Crique répond à la question et évite la punition générale. Mais le maître commence à corriger le devoir sur le système métrique et la copie\* de Lebrac est un vrai désastre. Le père Simon est rouge de colère.

– Qu'est-ce qu'un mètre, Lebrac ? interroge le père Simon.

– Euh !… fait Lebrac.

– Je vais répéter la leçon et si vous ne me répondez pas à onze heures, vous serez en punition de quatre heures à six heures tous les soirs !

Cette menace jette un grand froid dans la classe. L'après-midi se passe mieux et à la fin,

copie ici, devoir en classe

20

personne n'est puni. À la sortie de l'école, les guerriers partent, les poches pleines de cailloux, pour affronter leurs adversaires. Cinq d'entre eux se cachent dans un buisson.

Arrivés sur le champ de bataille, les ennemis commencent à s'insulter et à se lancer des cailloux avec leurs frondes. Un Velrans reçoit un caillou à la cheville, Camus un coup de bâton sur la tête. Alors Tintin donne le signal et les cinq guerriers cachés sortent de leur buisson.

– Tous sur Migue la Lune ! crie Tintin.

Et voilà Migue la Lune fait prisonnier pendant que les Velrans se retirent dans le bois.

– Euh ! Euh ! Ne me faites pas de mal ! dit Migue la Lune.

– Tu nous as traités de nouilles ! crie Lebrac.

– Non, ce n'est pas moi ! Qu'est-ce que vous voulez me faire ?

– Donnez-moi un couteau ! dit Lebrac à ses camarades.

– Oh ! qu'est-ce que vous voulez me couper ? fait Migue la Lune.

– Les oreilles, dit Tintin.

– Le nez, ajoute La Crique.

– Je vais le dire à ma mère et au père Simon et à monsieur le curé ! crie Migue la Lune.

Lebrac s'approche de lui avec un couteau et se met à couper les boutons de sa chemise, de son pull et de son pantalon, tous les boutons qu'il trouve sur les manches, sur les poches, sur les bretelles. Puis il coupe les lacets de ses chaussures en petits morceaux. Migue la Lune est enfin libéré et s'enfuit dans le bois en pleurant. Les Longevernes, contents d'avoir remporté la bataille, retournent au village en chantant.

La guerre des boutons vient d'éclater !

Les jours qui suivent cette victoire sont plus calmes. Chaque soir les ennemis s'affrontent mais Lebrac et sa troupe gardent l'avantage. Migue la Lune est prudent et reste derrière les Velrans. Pas de blessés, pas de prisonniers.

Mais le samedi matin, Lebrac a de gros problèmes en classe. Le père Simon décide de le punir et de le garder à l'école de quatre à cinq

heures. Tintin, Grangibus et Boulot sont eux aussi punis. La Crique est absent. Que faire ?

– Il vaut mieux ne pas y aller ce soir, pense Lebrac un peu inquiet.

Mais Camus n'est pas d'accord. À quatre heures, il rassemble les autres guerriers pour aller au terrain de combat. Quand ils arrivent, les Velrans sont déjà là. Touegueule monte la garde dans un arbre et informe tout de suite ses camarades que les Longevernes ne sont pas nombreux et que leur chef n'est pas là. L'Aztec veut venger Migue la Lune et propose un plan : faire des prisonniers et leur arracher leurs boutons.

La bataille commence. Camus monte dans un arbre et lance des cailloux avec sa fronde. Tout se passe bien pendant une demi-heure. Mais l'Aztec, armé lui aussi d'une fronde, le fait tomber de l'arbre. Camus essaie de se protéger avec ses mains quand il entend le cri de guerre de Lebrac qui a rejoint ses troupes et qui est venu le libérer. Lentement il se relève et... que voit-il ?... Horreur ! Lebrac est fait prisonnier.

– Ah mon Dieu ! crie Camus. Il avait raison, nous ne devions pas venir. Le chef a toujours raison !

La Crique, qui a suivi les Velrans, arrive en courant pour informer les Longevernes. Le pauvre Lebrac se défend de la tête, des pieds, des mains, des coudes, des genoux, des dents, mais ses ennemis viennent de le mettre* au tapis et lui donnent des coups de bâton. Ils vengent Migue la Lune et lui coupent tous ses boutons avant de lui rendre la liberté. Mais Lebrac ne pleure pas, c'est un chef lui ! Il est tellement en colère qu'il ne sent pas la douleur physique.

Lebrac rentre à Longeverne les cheveux et la chemise dans le vent. Son pantalon n'a plus de boutons et tient avec une ficelle*. Que vont dire ses parents ? Ils vont être furieux ! Quand il arrive à la maison de son père, il voit la lampe allumée et sa famille à table. Il tremble* à l'idée d'entrer dans la cuisine.

Le père Lebrac tient beaucoup à l'éducation de ses enfants. Il va souvent parler avec le père

mettre au tapis immobiliser
ficelle corde très mince

tremble a peur

Simon. Ce matin-là, il est justement allé parler avec le maître pour connaître les progrès de son fils. Le père Simon lui a appris que son fils a été puni.

– Il n'emporte jamais un livre à la maison ! Donnez-lui des devoirs en plus ! dit le père Lebrac au maître. Ce soir, je vais le punir !

Lebrac entre dans la cuisine et va s'asseoir à table. Sa mère lui dit de manger sa soupe et son père l'invite à boutonner sa chemise. Impossible !

– J'ai perdu mes boutons, dit Lebrac.

– Viens ici ! Où sont tes boutons ? D'où viens-tu ?

Lebrac ne répond pas et son père le punit : pas de dîner ce soir ! Puis le père Lebrac prend un bâton près de la cheminée, lui donne une belle fessée\* et l'envoie se coucher.

Le lendemain matin, il saute du lit et met sa casquette. Il a mal partout. Il repense aux événements de la veille et devient rouge de colère. Les Velrans vont lui payer cette humiliation !

Il met ses vêtements du dimanche et va sur la place où son armée l'attend avec impatience. Ils

fessée punition sur les fesses, le derrière

sont en train de commenter les événements de la veille quand les filles passent devant eux pour aller à la messe. Elles regardent Lebrac, l'homme qui a perdu la bataille. Parmi elle il y a Marie, la sœur de Tintin, qui regarde son amoureux d'un regard inquiet et tendre.

– J'espère que tu as dit la vérité à ta sœur. Tu lui as bien dit que j'ai été fait prisonnier pour libérer Camus ? demande Lebrac à Tintin.

– Bien sûr et elle était très en colère ! Je lui ai dit que tu n'as pas pleuré. Elle m'a même dit de t'embrasser et que quand tu seras de nouveau fait prisonnier elle te recoudra* tes boutons.

Voilà Lebrac rassuré, l'honneur est sauf. La cloche sonne et filles et garçons entrent dans l'église. Lebrac n'a qu'une chose en tête : trouver un plan génial à proposer le soir à ses soldats. ▪

recoudra du verbe recoudre, remettre des boutons sur un vêtement avec du fil et une aiguille

# DELF – Compréhension orale

**1  Réécoute le chapitre et coche les bonnes réponses.**

Le père Simon interroge Camus en Instruction ☐ Civile ☑ Civique.

**1**  À la sortie de l'école les guerriers partent les poches pleines de ☐ sous ☐ cailloux.

**2**  Lebrac coupe les ☐ boutons ☐ lacets de Migue la Lune en petits morceaux.

**3**  Migue la Lune s'enfuit dans le bois ☐ en pleurant ☐ en riant.

**4**  L'Aztec fait tomber ☐ Camus ☐ Touegueule de son arbre.

**5**  Lebrac est fait prisonnier et ses ennemis le mettent ☐ à genoux ☐ au tapis.

**6**  Le père Lebrac est furieux parce que son fils a perdu ☐ ses boutons ☐ son pantalon.

**7**  Le père Lebrac donne une belle ☐ soupe ☐ fessée à son fils.

**8**  Marie charge Tintin ☐ de féliciter ☐ d'embrasser son amoureux.

# Grammaire

**2  Complète les phrases avec l'adjectif possessif qui convient.**

Le père Simon interroge ....*ses*..... élèves.

**1**  Lebrac tu n'es pas calé sur le système métrique, .......... copie est un vrai désastre !

**2**  Si vous n'étudiez pas .......... leçon, vous serez punis.

**3**  Les guerriers ont .......... poches pleines de cailloux.

**4**  Migue la Lune a peur parce qu'on veut lui couper .......... oreilles et .......... nez.

**5**  Lebrac n'arrive plus à boutonner .......... chemise.

**6**  Ne t'inquiète pas Lebrac ! Marie va recoudre .......... boutons et ......... pantalon.

# Vocabulaire

**3** **Recompose correctement les expressions liées à la bataille.**

| | | | | |
|---|---|---|---|---|
| **1** | rendre | **a** | des cailloux |
| **2** | faire | **b** | le signal |
| **3** | rejoindre | **c** | des prisonniers |
| **4** | mettre | **d** | la garde |
| **5** | donner | **e** | dans le bois |
| **6** | affronter | **f** | les troupes |
| **7** | arriver | **g** | des adversaires |
| **8** | lancer | **h** | la bataille |
| **9** | s'enfuir | **i** | au tapis |
| **10** | grimper | **j** | dans un arbre |
| **11** | perdre | **k** | la liberté |
| **12** | monter | **l** | sur le terrain de combat |

## Activité de pré-lecture

# Vocabulaire

**4** **Cherche 12 mots concernant l'habillement dans la grille et associe les lettres restantes pour savoir ce que vont créer les Longevernes dans le prochain chapitre.**

| P | U | L | L | U | N | M | T | R | R | C | L |
|---|---|---|---|---|---|---|---|---|---|---|---|
| E | S | P | A | N | T | A | L | O | N | H | A |
| B | L | O | U | S | O | N | O | B | R | E | C |
| O | D | E | G | P | O | C | H | E | S | M | E |
| U | U | M | O | U | C | H | O | I | R | I | T |
| T | E | B | R | E | T | E | L | L | E | S | S |
| O | R | C | H | A | U | S | S | U | R | E | S |
| N | R | C | A | S | Q | U | E | T | T | E | E |

29

# De nouvelles tactiques de combat

▶ 4 Le conseil général des guerriers se réunit à la carrière et Lebrac propose son plan : pour ne pas abîmer* ses vêtements, il propose de se battre tout nus !

– Tout nus ! crient ses camarades un peu surpris.

– Parfaitement ! répond Lebrac en racontant ses souffrances physiques et morales après avoir été fait prisonnier.

– Et si quelqu'un nous voit et nous vole nos vêtements ? fait Boulot.

– Nous allons les cacher dans une grotte, répond Lebrac. Si quelqu'un nous voit, il leur suffira de ne pas nous regarder !

Les guerriers ne sont pas tous d'accord mais après une longue conversation, ils approuvent le plan de Lebrac à l'unanimité et se préparent à de nouvelles batailles.

Le lundi matin, les guerriers se retrouvent dans la cour de l'école. C'est une belle journée d'automne, parfaite pour se battre. Le père Simon

abîmer salir, détruire

les fait entrer en classe et commence à interroger Lebrac qui a appris sa leçon par cœur pour ne pas mettre son père en colère. La Crique, le meilleur de la classe, essaie d'aider Camus.

À quatre heures, après le goûter, l'armée se retrouve à la carrière. Camus monte dans son arbre pendant que les autres se déshabillent et cachent leurs vêtements. Ils mettent leurs cailloux dans un mouchoir et dans leur casquette. Leurs adversaires sont déjà là et la bataille commence. Cette fois, les Velrans sont battus par les Longevernes, mais ceux-ci sont morts de froid !

Ils retournent rapidement dans leur cachette pour se rhabiller. Ils sont très heureux parce que, cette fois, personne n'a été fait prisonnier. Le lendemain, à l'école, les soldats entourent leur chef :

– On va encore devoir combattre sans nos vêtements ? demande Boulot.

– Bien sûr ! répond Lebrac.

– Mais, tu sais, il ne faisait pas très chaud hier soir. On avait la chair de poule*, fait Tintin.

chair de poule sensation sur la peau quand on a froid

– À mon avis, ce soir les Velrans ne vont pas venir, reprend Boulot.

– Moi, je ne veux plus me battre tout nu ! crie Gueureillas.

Chose grave ! D'autres guerriers sont d'accord avec lui et ne veulent plus obéir à leur chef Lebrac. Non seulement ils ont eu froid, mais ils se sont blessés les pieds en marchant sur les cailloux. Lebrac est donc obligé d'avouer que ce moyen de combattre présente des inconvénients et admet qu'il faut trouver autre chose.

Lebrac a une idée ! Il faut trouver de l'argent pour acheter du fil, des aiguilles, des boutons... Mais comment trouver l'argent ?

– Premièrement, quand nous aurons des prisonniers, nous garderons leurs boutons pour avoir des réserves, explique Lebrac. Deuxièmement, nous allons acheter des boutons.

– Toi tu as de l'argent ? demande Boulot.

– Oui, j'ai une tirelire* mais ma mère ne veut pas que je dépense mon argent de poche, répond Lebrac.

tirelire récipient où l'on conserve ses économies

– C'est toujours comme ça ! crie Tintin. Quand on a de l'argent, ce n'est jamais pour nous ! Je voudrais acheter du chocolat, des billes… mais je ne peux pas !

Le maître sonne la cloche et les élèves entrent en classe. Mais Lebrac a une nouvelle idée. Il met ses livres et ses cahiers devant lui et prend une feuille. Il plie sa feuille en trente-deux morceaux où il écrit : « As-tu un sou ? ». Sur chaque morceau il écrit le nom d'un camarade. Les élèves se passent les morceaux de papier. S'ils ont un sou ils font une croix (+) et s'ils n'en ont pas ils font un tiret (-). Les camarades renvoient leur morceau à Lebrac : il y a vint-sept croix. C'est déjà quelque chose !

Ils se retrouvent tous à la récréation autour de leur chef qui les informe de la situation :

– Vingt-sept peuvent payer et je n'ai pas envoyé la lettre à tous. Nous sommes quarante-cinq. Qui n'a pas reçu la lettre mais a un sou ? Levez la main !

Huit guerriers lèvent la main. Lebrac compte sur ses doigts : ça fait trente-cinq.

– Voilà mon plan, explique Lebrac. On va tous

payer un sou pour notre trésor de guerre. Si un guerrier est fait prisonnier, on achète du fil, des aiguilles et des boutons. Comme ça, quand il rentre chez lui, ses parents ne se mettent pas en colère. Marie, la sœur de Tintin, viendra recoudre nos boutons.

Après avoir entendu le plan, les Longevernes votent : trente-cinq votent pour, dix votent contre car ils n'ont pas d'argent. Que faire ? Lebrac a une idée et il donne rendez-vous à ses camarades à quatre heures à la carrière.

Quand ils arrivent à la carrière, il fait déjà très froid. Tétard, P'tit Gibus et Guignard vont monter la garde pour contrôler les Velrans. Les autres se retrouvent dans la grotte où ils se sont déshabillés la veille.

– Asseyons-nous, dit Lebrac. Donc, nous sommes d'accord, nous allons former un trésor de guerre.

– Lebrac ! proteste Gueureillas. Nous, nous ne pouvons pas donner notre sou. Nous sommes pauvres.

– Ne vous inquiétez pas, je vais résoudre le problème. Je suis le chef, oui ou non ?! crie Lebrac. Qu'est-ce que vous croyez, moi non plus je n'ai pas d'argent. Quand on me donne un sou, mon père me le prend. Si je peux, j'achète des bonbons, mais si mon père le voit, il se met en colère ! Voilà ce que vous devez faire… Une fois par mois, un homme vient au village pour acheter les choses dont on ne sert plus. Vous pouvez lui vendre quelque chose pour un sou ou deux. Ou alors, quand votre père a bu trop de vin, vous pouvez prendre un sou dans sa poche. Ou alors, quand vous allez faire des courses pour votre mère, vous dites que c'était plus cher que d'habitude, et vous gardez un sou. Si vous n'arrivez pas à donner votre sou, ne vous inquiétez pas, nous avons besoin de fil, d'aiguilles et de boutons… si vous trouvez des boutons, mettez-les dans votre poche pour notre trésor de guerre. Nous avons besoin d'un trésorier* pour tenir les comptes. Si on fait des économies, on pourra organiser une fête après une victoire.

– Ce serait super ! fait Tintin.

trésorier personne qui s'occupe du trésor

– Trouvez d'abord des sous, dit Lebrac. Un sou par mois, ce n'est pas si difficile que ça !

– C'est vrai ! disent les guerriers.

Mais qui va être le trésorier ? Lebrac et Camus ne peuvent pas parce qu'ils sont déjà le chef et le sous-chef ; Gambette est souvent absent à l'école et donc il ne peut pas non plus ; Lebrac propose La Crique car il est fort en calcul et il écrit vite et bien.

– Je ne peux pas, dit La Crique. Je suis assis devant le père Simon ! Il voit tout ce que je fais ! Le trésorier doit être assis au fond de la classe. Je propose Tintin.

– Je suis d'accord, fait Lebrac. Tintin, tu es notre trésorier. En plus, c'est ta sœur qui va recoudre nos boutons si nous sommes faits prisonniers. C'est juste !

– Oui mais si les Velrans me prennent, on perdra notre trésor ! répond Tintin.

– Alors, tu ne te battras pas, tu regarderas. Tu dois faire ce sacrifice ! dit Lebrac.

Tintin est donc élu trésorier. Demain, ceux qui peuvent apporteront leur sou et les autres, les boutons qu'ils trouveront.

# Compréhension

**1 Associe correctement.**

1 |e| Lebrac propose à ses guerriers de...
2 ☐ Les guerriers acceptent le plan de Lebrac...
3 ☐ Après la bataille, les guerriers ne veulent plus obéir à Lebrac...
4 ☐ Lebrac propose de créer un trésor de guerre...
5 ☐ Dix guerriers protestent parce qu'ils ne peuvent pas...
6 ☐ Tintin est choisi comme trésorier parce que...

**a** ...formé de sous, de fil, d'aiguilles et de boutons.
**b** ...sa sœur Marie va recoudre leurs boutons quand ils seront faits prisonniers.
**c** ...à l'unanimité et se préparent à de nouvelles batailles.
**d** ...donner leur sou vu qu'ils sont pauvres.
**e** ...se battre tout nus pour ne pas abîmer leurs vêtements.
**f** ...parce qu'ils ont eu froid et se sont blessés les pieds.

# Vocabulaire

**2 Résous les anagrammes et complète les phrases.**

> eropsninsir • snnbboo • lilcoxau • ieerltir • ilsgauile
> esserrév • ~~gertot~~ • atgren • lif

Les guerriers vont cacher leurs vêtements dans une _grotte_.
1 Pendant la bataille, ils se sont blessés sur les .............. .
2 Ils doivent trouver de l'argent pour acheter du ..............
et des .............. .
3 Ils vont garder les boutons des .............. pour avoir des
.............. .
4 Lebrac a une .............. mais il ne peut pas dépenser son
.............. de poche.
5 Si Lebrac peut, il achète des .............. en cachette.

# DELF – Production écrite

**3** Imagine que tes camarades te choisissent comme trésorier de ta classe. Explique comment vous allez vous procurer l'argent et élabore un projet à réaliser.

# Grammaire

**4** Lis les phrases et souligne le pronom personnel complément qui convient.

Les guerriers ? Lebrac le/<u>les</u>/leur réunit à la carrière.

**1** Le plan de Lebrac est génial et ses amis l'/la/le approuvent à l'unanimité.

**2** Leurs cailloux, ils doivent les/leur/le mettre dans leur mouchoir ou dans leur casquette.

**3** Lebrac exagère et ses guerriers ne veulent plus l'/lui/leur obéir.

**4** Quand votre mère vous fait faire les courses, vous pouvez lui/la/le prendre un sou.

**5** S'ils trouvent des boutons, ils les/leur/lui mettent dans leur trésor de guerre.

**Activité de pré-lecture**

# Vocabulaire

**5** Trouve 10 mots du chapitre dans le serpentin et associe les lettres restantes pour savoir ce qui va arriver à l'Aztec, le chef des Velrans.

Chapitre 4

# Le trésor de guerre

▶ 5 Le lendemain, Tintin arrive à l'école et prend une feuille pour faire les comptes. Ses trente-cinq camarades viennent verser leur sou et les autres ce qu'ils ont trouvé : sept boutons, des morceaux de fil. Tintin écrit tout et réfléchit pendant la leçon. À la récréation, il consulte Lebrac et Camus : il faut acheter le nécessaire et mettre deux sous de côté en cas de nécessité. Il faut acheter des boutons, du fil blanc, du fil noir, des aiguilles, des lacets pour les chaussures… et puis où mettre le trésor de guerre ?

La sœur de Tintin va coudre un petit sachet pour mettre le trésor. Camus dit que La Tavie va aider Marie. Tintin et La Crique vont aller acheter le nécessaire. À onze heures, ils vont à la mercerie*. Ils saluent poliment la marchande et demandent un sou de boutons et le prix de l'élastique.

– C'est pour votre maman ? demande la marchande.

mercerie magasin où l'on vend des boutons, du fil, des aiguilles...

40

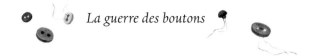 

– Non ! dit La Crique. C'est pour ma sœur.

La marchande est trop curieuse. Ils ne veulent pas lui dire que c'est pour leur trésor de guerre sinon elle va le raconter à tout le village ! Il faut trouver une autre solution pour acheter le matériel.

– Il vaut mieux demander à Marie d'aller acheter le matériel, dit Tintin. C'est une fille, on ne lui posera pas de questions.

Marie va donc à la mercerie et donne le matériel à Tintin. Le trésorier rejoint ses camarades pour leur montrer le trésor. Il est très fier de lui.

Ce soir-là, les Longevernes sont très contents. Leurs yeux rient, leurs joues sont rouges comme des pommes. Les bras, les jambes, les pieds, les épaules, les mains, le cou, la tête, tout est en mouvement ! Ils vont à la carrière et remplissent leurs poches de cailloux. Ils sont tranquilles parce qu'ils ont un trésor de guerre. Camus monte dans son arbre : les Velrans sont arrivés. Une belle bataille s'annonce.

Les Velrans ne bougent pas. Lebrac décide

d'attaquer avec la moitié de sa troupe. Les cailloux commencent à voler sur les têtes. Camus descend de son arbre et se met à courir, mais il tombe et les Velrans se jettent sur lui. Les Longevernes sont en colère et se précipitent pour sauver Camus. À force de coups de pied, de coups de poing, de gifles*, les Longevernes gagnent la bataille et font un prisonnier : l'Aztec, le chef des Velrans.

L'Aztec ne se laisse pas faire. Il mord, donne des coups de pied, insulte ses adversaires, crache* sur leur visage.

– On va le lier ! dit Tintin.

Il commence par les pieds et les mains et, pour l'empêcher de cracher, Boulot lui met son mouchoir sale dans la bouche. Grangibus prend un petit bâton et lui donne une belle fessée.

– Et maintenant, aux boutons ! fait Lebrac. Tintin, mets tout dans tes poches et ne perds rien !

Les boutons de l'Aztec vont enrichir le trésor de guerre de l'armée de Longeverne. Lebrac prend ses boutons et le pantalon de l'Aztec tombe à ses pieds. L'Aztec s'en va en pleurant de colère.

---

**gifles** coups sur la joue avec la main          **crache** jette de la salive

Sur la route, il rencontre Camus et Gambette qui lui donnent une autre fessée.

Quand il arrive dans son camp, ses guerriers savent déjà ce qui s'est passé. Touegueule a tout vu de son arbre : les coups, les boutons.

– Il faut s'en aller ! dit Migue la Lune.

– Il faut d'abord rhabiller l'Aztec, disent les autres.

– Où est mon pantalon ? demande l'Aztec.

– Il n'est pas là. Tu l'as perdu !

De loin, ils entendent les Longevernes chanter. Les Velrans essaient de rhabiller leur ami, mais les Longevernes ont volé le pantalon de leur victime.

– Comment je vais faire pour rentrer chez moi ? dit l'Aztec. Mes parents vont être très en colère.

Personne ne réussit à trouver une solution. Les plus petits proposent de rentrer pour ne pas risquer une fessée, Touegueule ne veut pas laisser son chef tout seul. L'Aztec a un autre pantalon chez lui mais comment faire pour le prendre ? Si ses amis entrent en cachette dans la maison, ils risquent de passer pour des voleurs ! Comment faire ? Touegueule

– Et tes boutons ? Ceux qui étaient dans ta poche cet après-midi ? reprend son père.

– Quels boutons ? fait sa mère qui vient d'entrer. Voilà pourquoi mes boutons disparaissent !

Son père lui donne une belle fessée et Tintin est de plus en plus décidé : il ne veut plus du trésor ! Cela lui coûte trop cher : des punitions, des fessées. Le lendemain matin, il remet donc le sachet de boutons à Lebrac. Comme personne ne veut garder le trésor, Camus a une idée : construire une cabane dans la carrière pour cacher leur trésor, leurs frondes et leurs bâtons. Ils pourraient même y faire la fête ! La proposition de Camus est acceptée à l'unanimité.

Ce jour-là, Camus et Gambette trouvent une excuse pour ne pas aller à l'école. Ils vont dans le bois pour jouer un mauvais tour à Touegueule : ils montent dans son arbre pour saboter* la branche où il s'installe pendant la bataille pour attaquer les Longevernes. Avec un petit couteau, ils coupent la branche. Si Touegueule monte sur la branche, elle cassera et il tombera par terre. ◼

saboter détruire intentionnellement

# Compréhension

**1 Trouve la seconde moitié de chaque phrase.**

☑ 1 Le soir, les Longevernes vont à la bataille ........................ .

☐ 2 Alors Camus propose de construire .......................... .

☐ 3 Le lendemain, Tintin fait tomber le trésor ...................... .

☐ 4 À 11 heures il va à la mercerie avec ........................ .

☐ 5 Pendant la bataille, ils font prisonnier ........................ .

☐ 6 Quand il rentre chez lui, son père lui donne ................... .

☐ 7 Le matin, Tintin fait les comptes et reçoit ...................... .

☐ 8 Comme la marchande est trop curieuse ...................... .

a ...guerre en classe et le maître le punit.

b ...le chef des Velrans et lui volent son pantalon.

c ...La Crique pour acheter des boutons et de l'élastique.

d ...tout contents, les poches pleines de cailloux.

e ...une fessée et il ne veut donc plus du trésor !

f ...une cabane dans la carrière pour le cacher.

g ...les sous, les boutons et les fils de ses camarades.

h ...ils envoient Marie acheter le matériel à leur place.

# Grammaire

**2 Transforme le texte reconstruit de l'activité 1 au passé composé.**

*Le matin, Tintin a fait les comptes et a reçu les sous, les boutons et les fils de ses camarades.*

........................................................................................

........................................................................................

........................................................................................

........................................................................................

........................................................................................

........................................................................................

# Vocabulaire

**3** **Complète les phrases avec les mots manquants en
t'aidant seulement de la première lettre.**

Tintin et La crique vont à la m_ercerie_.. pour acheter
le nécessaire.

**1** Marie va coudre un petit **s**.............. pour mettre le trésor
de guerre.

**2** Les joues des Longevernes sont rouges comme des
**p**.............. .

**3** À force de coups de pied, de coups de poings et de
**g**.............., ils gagnent la bataille.

**4** Grangibus donne une belle **f**.............. à l'Aztec avec un
petit bâton.

**5** Si les amis de l'Aztec entrent en **c**........... dans la maison,
ils risquent de passer pour des voleurs !

## Activité de pré-lecture

# Vocabulaire

**4** **Observe l'illustration qui se trouve à la page 55 et réponds
aux questions.**

**1** Où se passe l'action ?

..................................................................................................

**2** Comment est la cabane ?

..................................................................................................

**3** Que font les Longevernes ?

..................................................................................................

**4** Qu'est-ce qu'il y a sur la table ?

..................................................................................................

**5** Qu'est-ce qu'ils fêtent à ton avis ?

..................................................................................................

Chapitre 5

# La cabane des Longevernes

▶ 6 À quatre heures et dix minutes, les troupes de
Longeverne sont sur le champ de bataille avec
leurs munitions, prêts à attaquer l'ennemi.

– Cachez-vous bien, dit Lebrac, et surveillez
Touegueule. Gambette et Camus ont une petite
surprise pour nous !

Touegueule arrive et comme d'habitude il
monte dans son arbre et contrôle ses ennemis.
Puis il prend sa fronde et leur jette des cailloux.
Mais tout à coup on entend un grand « crac ». La
branche de Touegueule vient de casser net et le
voilà qui tombe sur les soldats qui sont en dessous.

– Aie ! Ouille ! La jambe ! La tête ! Le bras ! crie
Touegueule.

Les Longevernes se mettent à rire très fort et à
attaquer les Velrans qui se retirent tout de suite.
Même Touegueule se met à courir malgré la
douleur ! Ils peuvent finalement se concentrer sur

la construction de leur cabane. Où la construire ?
Avec quel matériel ?

La troupe se divise en petits groupes et part à la
recherche de l'endroit idéal dans la carrière. La Crique
trouve une petite grotte et appelle ses camarades.
Toute l'armée entre dans la grotte, elle est parfaite !
Maintenant, il faut penser à la construction de la porte
et des meubles. Lebrac cache le trésor de guerre au
fond de la grotte et tout le monde va à la recherche
de marteaux*, de clous*, de branches d'arbre… Avec
les feuilles des arbres, ils feront des lits pour les blessés
et avec de grosses pierres ils feront des chaises.

Le lendemain matin, ils se lèvent de bonne heure
pour chercher tout ce qu'il faut et commencent les
travaux. En quatre jours, la cabane est prête : on
nettoie l'intérieur, on accroche de belles images en
couleur, on fait des provisions de bois pour allumer
un feu et des provisions de pommes de terre. La
cabane est jolie et gaie.

Le dimanche, une nouvelle bataille éclate. Les
deux chefs se retrouvent l'un en face de l'autre. Les
deux troupes restent immobiles. Qui va attaquer

**marteaux** outils avec une tête en métal
et un manche

**clous** tiges pointues en métal

en premier ? L'Aztec ou Lebrac ? Ils se mettent tous les deux à crier et les deux armées se jettent l'une sur l'autre !

Les bâtons ne servent plus, les soldats se battent à mains nues, se tirent les cheveux, se donnent des coups de poing... on n'y comprend plus rien ! Les Longevernes gagnent la bataille et font six prisonniers : ils prennent leurs boutons pour leur trésor de guerre. À la fin les Velrans retournent chez eux, ils ont mal partout !

Le lendemain, les guerriers doivent donner leur sou pour le trésor.

– Si vous avez votre sou, dit Lebrac, levez la main !

Incroyable, les quarante-cinq guerriers lèvent la main ; cette fois ils réussissent tous à payer. Ils décident donc d'orgа́niser une fête pour fêter la victoire et la constrление de la cabane.

– Jeudi prochаin, nous allons faire la fête, fait Lebrac.

– Oui, oui ! Bravo ! Vive la fête ! répondent les

– Nous allons acheter du chocolat, dit l'un.

– Avec du pain, répond un autre.

– Et des biscuits !

– Et des bonbons !

– Et des sardines !

Les sardines, ce sont de petits poissons sans tête conservés dans une boîte de conserve avec de l'huile. Tigibus adore ça !

– Il faut aussi prendre des pommes et des poires et cuire des pommes de terre dans le feu, dit Tigibus.

– Il faut boire aussi, dit Grangibus.

– De l'eau et du vin, répondent les autres.

Le jeudi arrive et les soldats apportent leurs provisions dans la cabane. On met les provisions sur une grosse pierre qui sert de table. Quelle belle journée !

Ils s'amusent beaucoup et rient tous ensemble. Ils allument le feu pour faire cuire les pommes de terre. Puis ils ouvrent la boîte de sardines : il n'y a que onze petits poissons dans la boîte de conserve mais les guerriers sont quarante-cinq. Comment

faire ? Tigibus ne veut pas de sardine, il préfère l'huile. Et le problème est réglé.

Les soldats s'assoient sur leur pierre et le grand dîner commence. Ils commencent par les pommes de terre bien chaudes. Puis c'est le tour des sardines : La Crique coupe les onze sardines en quatre et donne l'huile à Tigibus. Ils mangent tous très lentement leur bout de sardine sur un morceau de pain.

Puis ils passent au dessert : ils partagent les bonbons, les biscuits, les fruits et le chocolat. Ils veulent boire de l'eau et du vin, mais ils n'ont pas de verre. La Crique trouve la solution.

– Prenez une pomme et un couteau ! dit-il. Il suffit de faire un trou dans la pomme pour fabriquer un verre.

Chaque guerrier fabrique son verre et Lebrac verse à boire à tout le monde.

– Vive les Longevernes !

Camus se met à chanter et les autres font comme lui. C'est une très belle fête et tout le monde s'amuse beaucoup. Lebrac propose de parler un peu tous ensemble. C'est La Crique qui commence :

– Vous savez depuis quand les Velrans et les Longevernes se battent ?

– Depuis le commencement du monde ! répond Gambette.

– Les adultes disent qu'il faut regarder dans les archives, personne ne se rappelle quand ça a commencé, explique La Crique.

– C'est à cause d'une maladie que tout a commencé. Un jour des marchands d'animaux sont venus. L'une de leurs vaches était malade et ils l'ont abandonnée à côté du bois des Velrans. On l'appelait comme ça mais en réalité il appartenait aux Longevernes. La vache est morte mais les Velrans n'ont pas voulu la mettre sous terre.

– Et qu'est-ce qui s'est passé ? demande Lebrac.

– Il y a eu un procès qui a duré deux cents ans, les Velrans ont dépensé beaucoup d'argent, mais ils ont perdu. Et depuis, c'est la guerre ! Les Velrans ne viennent plus à Longeverne. C'est à nous aujourd'hui de défendre l'honneur des Longevernes !

# Compréhension

**1** **Réponds aux questions suivantes.**

**1** Sait-on exactement depuis combien de temps les Longevernes et les Velrans se battent ?

...........................................................................................................

**2** Pourquoi les batailles ont-elles commencé ?

...........................................................................................................

**3** Comment l'affaire a-t-elle évolué ?

...........................................................................................................

**4** Que penses-tu de la situation ?

...........................................................................................................

# Grammaire

**2** **Lis et conjugue les verbes à l'imparfait.**

Quand les Longevernes ..*gagnaient*.. la bataille, ils ............
.......................................... (se rencontrer) à la cabane où ils
.............................. (faire) la fête. Ils ......................................
(allumer) le feu et ils ................................. (cuire) des
pommes de terre. Ils ................................. (mettre) la
table et ils ........................... (s'asseoir) sur des chaises
en pierre. Ils ........................... (ouvrir) une boîte de
sardines, ........................... (manger) du chocolat et
des bonbons et ........................... (boire) de l'eau et
du vin. Ils ........................... (fabriquer) des verres
en faisant un trou dans des pommes. Après manger, ils
........................... (chanter) et ...........................
(s'amuser) beaucoup.

58

# Vocabulaire

**3** **Que va-t-il se passer dans le dernier chapitre ? Complète les expressions avec les parties du corps et associe les lettres encadrées pour le savoir.**

> œil • dents • oreilles • épaule • coudes • bras
> ~~jambes~~ • main • visage • genoux • cheveux • cœur

Le footballeur a un beau jeu de jam $\boxed{b}$ es.

**1** Il est derrière moi et lit derrière mon _ _ $\square$ _ _ _ .

**2** L'enfant de chœur se met à _ _ $\square$ _ _ _ à côté du curé.

**3** Quand on est solidaire, on se serre les $\square$ _ _ _ _ _ .

**4** Il ne sait pas mentir, on lit tout sur son _ _ _ $\square$ _ _ .

**5** Pour vous écouter, j'ouvre toutes grandes mes
_ _ _ _ _ $\square$ _ _ .

**6** Quand on a froid, on claque des _ _ _ $\square$ _ .

**7** Il sait sa leçon par _ _ _ $\square$ .

**8** Il est généreux, il a le cœur sur la _ $\square$ _ _ .

**9** Ils se donnent des coups et se tirent les _ $\square$ _ _ _ _ _ .

**10** Je le surveille, je le tiens à l'_ $\square$ _ .

**11** Vous avez du pouvoir, vous avez le _ $\square$ _ _ long !

B _ _ _ _ _ va _ _ _ _ _ _ ses camarades.

# Le trésor de guerre

7 Le vendredi matin, les guerriers se retrouvent à l'école. Ils se sont bien amusés hier, quelle fête ! Mais ils entendent des cris, Camus et Bancal sont en train de se battre dans les toilettes. Le père Simon vient les séparer pour savoir pourquoi ils se disputent. Ses camarades savent très bien que Bancal est jaloux parce que La Tavie est amoureuse de Camus.

Ce qui s'est passé est très simple. Ils étaient aux toilettes pour voir celui qui fait pipi le plus loin et Bancal, par erreur, a fait pipi sur le pantalon de Camus. Alors ils se sont mis à se battre. Le père Simon ne sait pas quoi faire et les autres disent avoir tout vu : Bancal est coupable !

Le maître décide donc de punir Bancal qui promet qu'à la première occasion il se vengera ! Quant à Camus, s'il se comporte bien en classe, il ne sera pas puni. Bancal est encore plus en colère.

Ce soir-là la bataille est très dure. Elle commence

par un échange de cailloux et se termine par
de terribles duels : Camus contre Touegueule,
Lebrac contre l'Aztec, Tintin contre Tatti… Cette
fois, Tintin est fait prisonnier.

– Gambette, va chercher Marie ! Dis-lui que
son frère est prisonnier, dit Lebrac.

Pendant ce temps, les autres préparent les
boutons, le fil et une aiguille pour recoudre les
vêtements de Tintin. Mais Tintin revient sans son
pantalon. Une tragédie !

– Ils m'ont volé mon pantalon ! pleure Tintin.
Ils veulent en faire un drapeau. Comment je vais
faire pour rentrer chez moi ?

– Nous allons reprendre le pantalon de Tintin !
C'est une question d'honneur, dit Lebrac. Peut-
être que les Velrans ont une cabane et qu'ils vont
laisser leurs frondes et leurs bâtons à l'intérieur.
Nous allons leur sauter dessus !

– Oui, en route ! répondent les guerriers.

Ils arrivent à la limite entre les deux villages,
les uns derrière les autres, et se cachent dans les
buissons. Ils entendent les voix des Velrans :

– Vous avez vu comment j'ai pris le pantalon de Tintin ? demande Tatti.

– On va le mettre sur le bâton de Touegueule pour faire un drapeau, répond l'Aztec.

La troupe des Velrans se met en route et les Longevernes se jettent sur eux. Lebrac récupère le pantalon de Tintin. Marie peut finalement recoudre les boutons du pantalon de son frère. Les Longevernes rentrent chez eux, contents d'avoir sauvé l'honneur.

Bancal était puni et n'a pas participé à la bataille. Les autres lui pardonnent ce qu'il a fait le matin mais lui, il veut encore se venger et il réfléchit. Il pourrait peut-être voler le trésor des Longevernes, mais on comprendrait tout de suite que c'est lui.

Le jeudi suivant, il accompagne son père à la foire mais avant de partir, il organise sa vengeance. Quand il revient le soir, il retrouve ses camarades qui viennent de se battre. Pas de prisonniers, mais Camus est blessé à la tête, Tintin à son bras gauche, Boulot a une jambe toute noire, La Crique a un œil gonflé, Grangibus a mal aux pieds…

impossible de se battre pendant deux jours ! La troupe se met à jouer aux billes pour se distraire. Le samedi, Camus, Lebrac, Tintin et La Crique décident d'aller faire un tour à la cabane sans rien dire aux autres.

Quand ils arrivent à la cabane, ils poussent un cri d'horreur. Des gens sont entrés, sûrement les Velrans, et ont tout cassé ! Le trésor a disparu, les armes sont cassées, les images déchirées, les feuilles du matelas brûlées…

– Quand c'est arrivé ? Jeudi soir tout était en ordre ! fait La Crique.

– Peut-être qu'ils sont venus hier ! répond Lebrac. Quels bandits ! Nous devons trouver leur cabane et nous venger. Comment ont-ils fait pour trouver notre cabane ?

– Il y a un traître* ! dit Camus.

– C'est Bancal ! crie Lebrac. Jeudi il est parti avec son père et en revenant il est passé chez les Velrans pour leur dire où est notre cachette, j'en suis sûr !

Ils décident de rentrer au village sans rien dire

traître quelqu'un qui trahit, qui vend une personne

aux autres et de trouver un moyen pour punir Bancal. Ainsi, le dimanche, ils proposent à la troupe d'aller à la cabane. Bancal semble un peu agité, il ne sait pas exactement ce que les Velrans ont fait. Quand ils arrivent à la cabane, la colère des guerriers explose.

– Mais ce n'est pas possible !

– Qui a pu faire ça ?

– Nos armes, nos images, notre lit !

– Notre trésor ! Nos boutons !

– Ce sont les Velrans !

– Il y a un traître parmi nous, dit Lebrac. Et je le connais !

– C'est lui ! dit La Crique en montrant Bancal du doigt.

– Ce n'est pas vrai ! proteste Bancal. Je ne connais pas les Velrans !

– Silence, menteur ! reprend Lebrac. C'est jeudi que tu as vendu tes camarades !

– Je veux m'en aller, dit Bancal.

– Liez-le ! ordonne Lebrac. Il faut le faire avouer !

Camus et La Crique lient le prisonnier. Ils allument un feu et menacent de lui brûler les doigts de pied. Bancal avoue, mais c'est inutile. Leur cabane est détruite et le trésor de guerre a disparu à cause de lui. Il doit payer !

D'abord, ils lui prennent tous ses boutons et le déshabillent. Puis, chacun leur tour, avec un petit bâton, ils lui donnent une fessée. Bancal rentre au village, mort de peur.

Les autres restent. Il faut trouver une nouvelle cabane. Les soldats récupèrent les choses qui peuvent encore servir pendant que les chefs font un plan pour récupérer le trésor qui est sûrement dans la cabane des Velrans. Mais où ? Et surtout quand chercher ? Il est tard et décident de rentrer à Longeverne.

Bancal, lui, est déjà arrivé. Les gens du village sont attirés par ses cris. Il marche au milieu de la rue, il est si fatigué et il a si mal qu'il n'arrive plus à parler. Son père et sa mère le prennent pour le ramener à la maison. Tous les gens du village les suivent. Mais que s'est-il passé ?

On soigne ses blessures, on lui fait boire du

thé. Bancal se calme et ouvre les yeux. Il raconte tout ce qui s'est passé à la cabane, parle de l'armée de Longeverne, des batailles, des prisonniers, du trésor de guerre. Il raconte tout ce que les soldats ont volé chez eux : les sous, les boutons, les pommes de terre, les clous, les marteaux... Les gens du village sont très en colère ! Les parents attendent leurs enfants pour les punir. Quand ils arrivent, ils leur ordonnent de rentrer tout de suite. De toutes les maisons du village on entend crier ! Tous les soldats de l'armée de Longeverne, du plus grand au plus petit, sont battus. Seuls les Gibus et Gambette échappent à la punition. Ils habitent loin du village et leurs parents ne savent rien.

Ils retournent à l'école : leurs parents leur ont interdit de parler, de se battre, de voler des boutons. Le père Simon est chargé de les surveiller et après l'école ils doivent tout de suite rentrer à la maison. Grangibus fait passer un billet à Lebrac car lui, son frère et Gambette n'ont pas compris ce qui s'est passé. Lebrac écrit :

« Bancal est au lit avec de la fièvre. Il a tout raconté

et nos parents nous ont battus. Défense de parler. Les Velrans vont le payer. Cherchez le trésor. »

Quelques jours après, Bancal va mieux et la tension diminue. Grangibus et Gambette viennent de récupérer le trésor.

– Comment avez-vous fait ? demande Lebrac.

– Ils n'ont pas de cabane. Les boutons étaient dans un trou, sous une grosse pierre, explique Gambette.

– Alors, ça s'est mal passé hier soir ! dit Grangibus.

– Nos parents ne sont pas drôles* ! répond Lebrac. Et pourtant, eux aussi, à notre âge, ils faisaient des bêtises*. Le soir, ils nous disent d'aller nous coucher tôt et après on les entend raconter leurs histoires de quand ils étaient jeunes.

Après une pause de silence en repensant au trésor et à une nouvelle déclaration de guerre, La Crique dit avec mélancolie :

– Dire que quand nous serons grands, nous serons peut-être comme eux !

drôles amusants        bêtises idioties

# Compréhension

**1** **Complète les phrases.**

Camus et Bancal se disputent parce que...
*La Tavie n'est pas amoureuse de lui mais de Camus*

**1** Camus et Bancal se battent dans les toilettes parce que...
..................

**2** Bancal veut se venger parce que...
..................

**3** Après la bataille, les guerriers appellent Marie parce que...
..................

**4** Tintin pleure parce que les Velrans...
..................

**5** Bancal ne participe pas à la bataille parce que...
..................

**6** Les Longevernes vont à la cabane et se mettent en colère parce que...
..................

**7** Bancal ne participe pas à la bataille parce que...
..................

**8** Les parents punissent leurs enfants et leur interdisent de parler et de se battre parce que...
..................

# Vocabulaire

**2** **Barre l'intrus de chaque série de mots.**

| oreilles • nez • yeux • ~~bois~~ • visage |
|---|

**1** couloir • cour • cloche • craie • mouchoir
**2** cachette • joues • grotte • cabane • carrière
**3** poches • traître • guerre • prisonniers • ennemis
**4** nuit • matin • lacets • après-midi • soir
**5** main • coude • bras • épaule • arbre

# DELF – Production écrite

**3** Écris un article sur la guerre des boutons pour le journal de classe ou de ton école. Invite tes lecteurs à lire ce roman en utilisant des arguments convaincants.

.......................................................................................................

.......................................................................................................

.......................................................................................................

.......................................................................................................

.......................................................................................................

.......................................................................................................

.......................................................................................................

.......................................................................................................

.......................................................................................................

.......................................................................................................

.......................................................................................................

.......................................................................................................

# Grammaire

**4** Mets les phrases suivantes au féminin et accorde les adjectifs.

Les guerriers sont nombreux, forts et furieux : *Les* *guerrières sont nombreuses, fortes et furieuses.* .

**1** Le dimanche ils sont tous beaux et bien habillés : ............

.......................................................................................................

**2** Les garçons sont calmes mais un peu inquiets : ...............

.......................................................................................................

**3** Ce père est surpris de voir son fils tout nu : ........................

.......................................................................................................

**4** Le marchand est un curieux et un menteur : ........................

.......................................................................................................

**5** Bancal est jaloux parce qu'il est amoureux : Marie ............

.......................................................................................................

# Louis Pergaud

## Sa vie

Louis Pergaud est né le 22 janvier 1882 à Belmont, un petit village de la Franche-Comté. Louis passe donc son enfance à la campagne. Son père est instituteur et sa mère une fille de fermiers*.

À l'école Louis est un élève brillant même s'il est un peu indiscipliné. À 12 ans, il décroche* son certificat d'étude,

un diplôme de l'école primaire qui n'existe plus depuis 1989. Puis il devient pensionnaire à Besançon pour poursuivre ses études. Comme son père, il devient lui aussi instituteur.

Après avoir publié son premier recueil de poèmes, *l'Aube*, il décide de ne plus enseigner et se consacre à l'écriture. Pour se maintenir il travaille comme employé de bureau. En 1910, il reçoit le Prix Goncourt pour ses histoires de bêtes : *De Goupil à Margot*. Ensuite il publie trois romans dont *La guerre des boutons* en 1912.

Nous sommes à la veille de la 1ère guerre mondiale et Louis est obligé d'aller au front*. À cette occasion, il projette un nouveau roman sur le thème de la guerre, mais il ne réussit pas à le terminer car il meurt au front dans la nuit du 7 au 8 avril 1915.

## La guerre des boutons

Louis Pergaud enseigne dans les petits villages de sa région, en particulier à Landresse. Ce village est important car dans La guerre des boutons il correspond à Longeverne. C'est pendant l'été 1910 que Louis Pergaud trouve le sujet de ce roman après avoir entendu les récits de batailles des enfants du village. Il connaît bien ce monde de paysans et il sait que la pauvreté y est importante. À l'époque, un bouton coûte cher et perdre son pantalon est une vraie tragédie !

Dans la préface du livre Louis écrit : « Ce livre, je l'ai conçu dans la joie, je l'ai écrit avec volupté*, il a amusé quelques amis et fait rire mon éditeur : j'ai le droit d'espérer qu'il plaira aux hommes de bonne volonté. »

Dans le texte original, la langue est très complexe. Le texte est écrit avec des mots d'argot*, en patois* et même des mots inventés. Cette particularité fait du roman un chef-d'œuvre original.

## Activité

**La guerre des boutons a inspiré un classique de la littérature anglo-saxonne. Il s'agit d'un roman de William Golding. Trouve 18 mots dans la grille et associe les lettres restantes pour connaître le titre de ce roman.**

| | | | | | | | | | | | |
|---|---|---|---|---|---|---|---|---|---|---|---|
| E | I | N | D | I | S | C | I | P | L | I | N | E | S |
| N | G | A | P | E | R | E | D | M | A | A | P | C | J |
| F | U | F | R | O | N | T | I | E | R | S | O | R | T |
| A | E | B | E | C | A | M | P | A | G | N | E | I | E |
| N | R | E | C | U | E | I | L | J | O | M | M | T | T |
| C | R | T | C | H | E | R | O | O | T | E | E | U | U |
| E | E | E | D | F | E | R | M | I | E | R | S | R | D |
| E | S | S | A | M | I | S | E | E | M | E | O | E | E |
| U | C | H | E | P | A | U | V | R | E | T | E | S | S |

— — ——————— ——— ————————

**fermiers** agriculteurs
**décroche** obtient

**front** zone de combat
**volupté** plaisir

**argot** langue de la rue
**patois** langue régionale

# L'école en France au XIX<sup>ème</sup> siècle

L'enseignement existe depuis longtemps en France mais avant, seuls les enfants riches pouvaient aller à l'école. En fait, ils allaient à l'église pour suivre les leçons et le maître était un curé. Mais petit à petit, les choses changent…

Pendant la **Révolution française,** en 1789, l'école devient gratuite. Les maîtres sont payés par l'État et on enseigne les valeurs du Siècle des Lumières*.

Sous **Napoléon 1<sup>er</sup>**, l'école redevient payante et les enfants pauvres ne peuvent pas y aller. L'empereur contrôle tout le système scolaire et il crée les lycées pour former les cadres* de son administration.

Avec la **2<sup>ème</sup> République** (1848-1852) tout change. L'école primaire devient obligatoire et gratuite. Les filles peuvent aller à l'école mais leur éducation est encore confiée à des religieuses.

Il faut attendre la **3<sup>ème</sup> République** et le ministre Jules Ferry pour voir l'école devenir obligatoire, gratuite et laïque. Il y a des écoles de filles et des écoles de garçons. L'école est obligatoire pour tous de 6 à 13 ans.

L'école est laïque : cela veut dire qu'on n'enseigne plus la religion à l'école. La laïcité est un principe qui implique la séparation de l'Église et de l'État : dans les écoles, on n'enseigne plus les valeurs chrétiennes mais les valeurs morales de la République.

Les cours de récréation naissent pendant la 3ème République.

Tous les élèves portent un uniforme pour montrer qu'ils sont tous égaux.

Ils ont un simple cartable en cuir marron ou noir qui doit durer pendant toute leur scolarité.

Pour écrire, ils utilisent une plume* qu'ils trempent dans un encrier*.

À la récréation, les enfants font la ronde, sautent à la corde, jouent au cerceau, au billes, aux osselets*, à cache-cache....

## Activité

**À l'époque de Louis Pergaud, les maîtres étaient très sévères et pouvaient punir leurs élèves avec des punitions corporelles, comme par exemple leur donner des coups de règle sur la tête. Ils leur mettaient sur la tête un drôle de chapeau. Réponds vrai (V) ou faux (F) et associe les lettres obtenues pour savoir de quoi il s'agit.**

Il s'agit d'un <u>b</u> _ _ _ _ _ d' _ _ _

|  |  | V | F |
|---|---|---|---|
| | Les cours ont toujours eu lieu à l'école. | C | **B** |
| 1 | L'école devient gratuite sous Napoléon 1er. | A | O |
| 2 | L'école est obligatoire et laïque grâce à Jules Ferry. | N | S |
| 3 | On enseigne encore aujourd'hui la religion à l'école. | N | P |
| 4 | La laïcité est la séparation de l'Église et de l'État. | E | Ô |
| 5 | Pendant la 2ème République on allait à l'école de 6 à 13 ans. | B | T |
| 6 | Les cours de récréation ont toujours existé. | I | À |
| 7 | Les élèves portaient un uniforme à l'époque du roman. | N | L |
| 8 | Pour écrire, on utilisait une plume et un encrier. | E | R |

**Lumières** illuminisme
**cadres** dirigeants
**plume** ancêtre du stylo

**encrier** récipient qui contient de l'encre
**osselets** jeu qui consiste à lancer de petits objets en forme d'os et à les rattraper sur le dos de la main

# L'enfant dans la littérature française

Louis Pergaud n'est pas le seul écrivain français à avoir mis en scène des enfants dans un roman. Voici quelques illustres exemples...

### La Comtesse de Ségur et *Les malheurs de Sophie* (1858)

Sophie est une petite fille qui vit à la campagne pendant le Second Empire. Elle habite dans un château avec ses parents. C'est une enfant curieuse mais qui n'obéit pas à sa maman : elle fait beaucoup de bêtises !

### Hector Malot et *Sans famille* (1878)

Rémi est un enfant abandonné et donc sans famille. Vitalis, un musicien ambulant*, achète l'enfant et ensemble ils voyagent à pied et donnent des spectacles. À la mort de Vitalis, Rémi part à la recherche de ses vrais parents et vit de terribles aventures avec le petit singe Joli-Cœur et son chien Capi.

### Jules Vallès et *L'Enfant* (1879)

L'Enfant est un roman autobiographique. Jacques Vingtras est le double de l'auteur qui raconte l'histoire de sa famille, ses souvenirs intimes tendres mais aussi douloureux. Il raconte aussi l'histoire de sa formation et fait une critique des méthodes éducatives de son époque.

## Jules Renard et *Poil de carotte* (1894)

Poil de carotte est le cadet de la famille Lepic. Il doit son nom à la couleur de ses cheveux. Personne ne l'aime et tout le monde fait semblant qu'il n'existe pas. Sa mère est en particulier très méchante avec lui. Mais Poil de Carotte se crée un monde personnel et vit son enfance comme il peut.

## Saint Exupéry et *Le petit prince* (1943)

Le petit prince est un petit garçon qui vit sur un astéroïde, une petite planète. Il va sur la Terre pour se faire des amis et il rencontre beaucoup de personnages. Quand il arrive dans le Sahara, il rencontre un aviateur qui est tombé en panne à qui il demande de lui dessiner un mouton.

# Activité

*Le petit Nicolas* **est né de l'imagination de René Goscinny en 1959. Ce petit garçon a 7 ou 8 ans et il est très sympathique. Trouve le prénom de six autres amis de Nicolas et associe les lettres restantes pour connaître celui de son meilleur ami qui est rondelet parce qu'il mange tout le temps !**

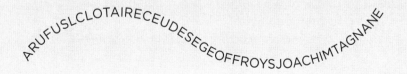

ARUFUSLCLOTAIRECEUDESEGEOFFROYSJOACHIMTAGNANE

**ambulant** qui n'a pas de domicile fixe
**cadet** le plus jeune de la famille
**fait** semblant fait comme si

77

# Compréhension

**Vrai (V) ou faux (F) ? Coche la bonne réponse**

|  | V | F |
|---|---|---|
| La guerre des boutons se passe en Franche-Comté. | ☑ | ☐ |
| **1** Les Longevernes sont en colère car les Velrans les traitent de nouilles. | ☐ | ☐ |
| **2** Les deux bandes se battent tous les jours à la carrière. | ☐ | ☐ |
| **3** Camus lance l'idée de couper les boutons aux prisonniers. | ☐ | ☐ |
| **4** Quand Lebrac est fait prisonnier il ne pleure pas car c'est un chef. | ☐ | ☐ |
| **5** Les guerriers sont contents de se battre tout nus. | ☐ | ☐ |
| **6** Pour combattre, ils cachent leurs vêtements à la carrière. | ☐ | ☐ |
| **7** Dix guerriers ne donnent pas leur sou car ils sont pauvres. | ☐ | ☐ |
| **8** Un homme vient une fois par mois acheter les choses dont on ne se sert plus. | ☐ | ☐ |
| **9** La Tavie va coudre un petit sachet pour mettre le trésor de guerre. | ☐ | ☐ |
| **10** Les Longevernes veulent faire un drapeau avec le pantalon de l'Aztec. | ☐ | ☐ |
| **11** Dans la cabane il y a des lits en feuilles d'arbres et des chaises en pierre. | ☐ | ☐ |
| **12** Bancal revient au village, il est fatigué et a mal partout. | ☐ | ☐ |

**Contenus**

////////////////////////////////////////////////

**Vocabulaire**
L'école
Le corps humain
La bataille
Les vêtements


**Grammaire**
Les adjectifs possessifs
L'accord de l'adjectif
Les pronoms personnels compléments
Le présent de l'indicatif
L'emploi du passé composé et de l'imparfait.

# Lectures ELI Juniors